MW00439549

La colección LEER EN ESPAÑOL ha sido concebida
y diseñada por el Departamento de Idiomas
de la Editorial Santillana, S. A.
En piragua por el Sella es una obra original
de **Victoria Ortiz** para el Nivel 2 de esta colección.

Ilustración de la portada: **Francisco González**

Ilustraciones interiores: **Iñaqui Miranda Paniagua**

Coordinación editorial: **Silvia Courtier**

Torrelaguna, 60. 28043 Madrid
PRINTED IN SPAIN
Impreso en España por UNIGRAF
Avda. Cámara de la Industria, 38
Móstoles, Madrid
ISBN: 84-294-3436-4
Depósito legal: M-46.068-2003

EN PIRAGUA POR EL SELLA

VICTORIA ORTIZ

Colección

LEER EN ESPAÑOL

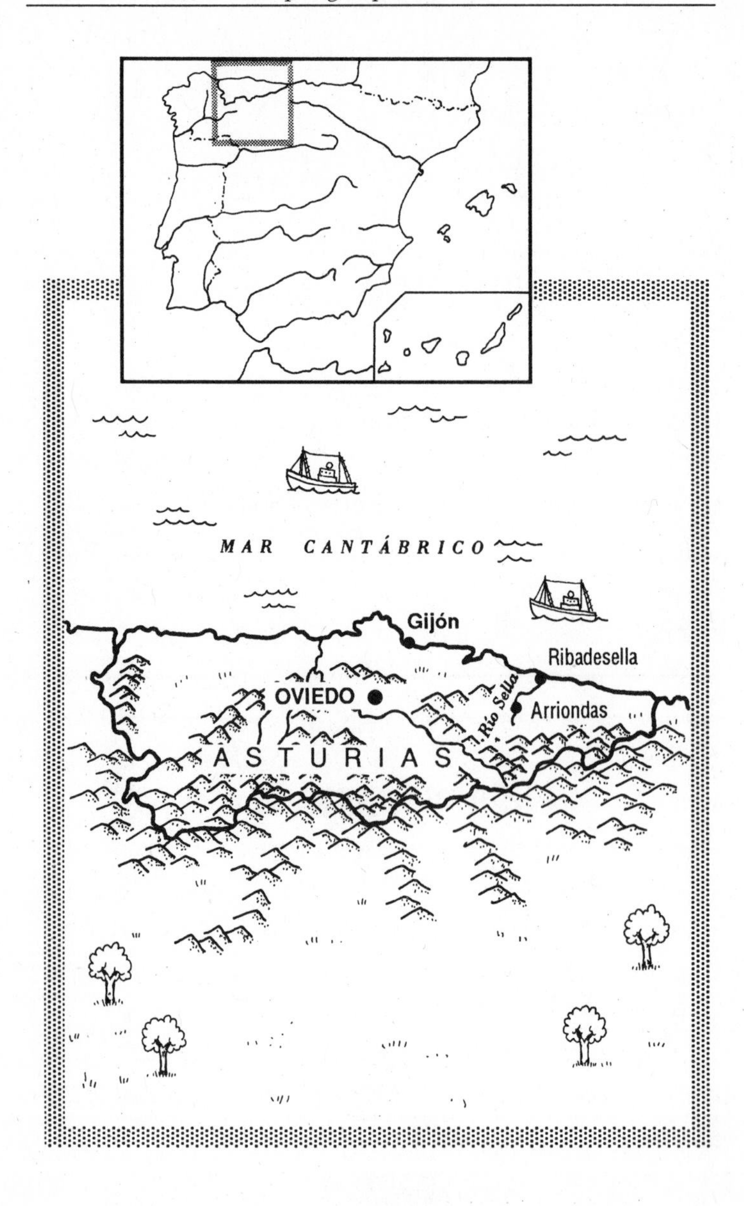
MAR CANTÁBRICO
Gijón
Ribadesella
OVIEDO
Arriondas
Río Sella
ASTURIAS

I

HOY, primer sábado de agosto, en Arriondas es día de fiesta. Hoy, como todos los años, ha llegado el momento del Descenso del Sella: más de ochocientas piraguas[1] van a bajar los diecisiete kilómetros de río que hay desde el puente[2] de Arriondas hasta el de Ribadesella. Todavía es temprano, pero las calles están ya llenas de gente; gente venida de toda España para seguir la aventura del Descenso.

Arriondas es un pueblo grande y bastante rico. En sus calles hay casas viejas con jardines, pero también edificios modernos de cinco o de seis pisos. Tiene Arriondas un puente muy bonito y un camping tranquilo, lleno siempre de turistas en verano.

En el parque del pueblo, sentados en un banco, tres jóvenes miran, a lo lejos, las montañas, perdidas entre la niebla[3]. Es la primera vez que visitan Arriondas. Los tres son de Madrid y están de vacaciones en Asturias. Jaime es el mayor de todos, tiene veinticuatro años y es empleado en un banco. Rosa es la novia de Jaime. Ha estudiado farmacia y está buscando trabajo. Manuel, su hermano, tiene diecisiete años y aún va al colegio.

El cielo está lleno de nubes. Parece que va a llover. Rosa tiene frío y quiere volver al coche a buscar su chaqueta.

–¿Quién de vosotros tiene las llaves?

–Las tiene Manuel. Él cerró el coche.

Manuel busca en sus bolsillos y en el bolso de viaje:

–No las encuentro. Creo que las he perdido.

–¡Y lo dices así, tan tranquilo! ¡Pues dime tú qué hacemos ahora...!

–Bueno, bueno, Rosa –dice Jaime–, no pasa nada. Tengo otras llaves en la habitación del hotel.

–Sí, pero el hotel está en Oviedo[4]. Si te parece, nos volvemos ahora a pie. Como sólo son setenta kilómetros...

–No te pongas así. Podemos volver en tren.

–¿Y ahora cómo seguimos el Descenso?

–Eso no lo sé. Tenemos que buscar un guardia y preguntarle qué podemos hacer.

II

En Arriondas empieza a llover suavemente. A esta manera de llover los asturianos la llaman «orbayu». La gente del pueblo, sin paraguas, pasea por las calles, canta, baila... Algunos llevan collares de papel, otros un sombrerito de color negro, la «montera picona», otros una flor en la chaqueta... Cerca de allí, la música de una gaita[5] invita a todos los vecinos a la fiesta.

Los jóvenes encuentran a un guardia en la plaza del pueblo.

–Por favor, ¿a qué hora salen las piraguas?

–A las doce en punto.

–¿Y cuándo llegan a Ribadesella?

–Las primeras piraguas llegan más o menos a la una de la tarde.

–¿Sabe usted cómo podemos ir a Ribadesella? Verá, es que nosotros vinimos en coche, pero hemos perdido las llaves y...

–No se preocupe, es muy sencillo. Hoy funciona el tren fluvial[6]. Este tren sale de la estación casi a la misma hora que las piraguas y sigue el Descenso por la orilla[7] izquierda hasta llegar a Ribadesella.

–¿Y dónde sacamos los billetes?

–En la estación. Está a unos cien metros de aquí. Suban por allí, por esas escaleras. Son dos minutos.

–Muchas gracias por todo –dice Rosa.

–De nada.

Jaime, Rosa y Manuel suben a la estación y compran los billetes. Sólo son las diez de la mañana y la fiesta empieza a las once. Todavía tienen tiempo. Los tres jóvenes vuelven a la calle y buscan un bar. Tienen hambre y quieren desayunar.

III

El bar es moderno, está pintado de color verde claro y tiene algunos cuadros en las paredes. A estas horas hay ya bastantes clientes que quieren desayunar. Los jóvenes se sientan en una mesa al lado de la ventana.

–Buenos días, señores. ¿Qué van a tomar?

–Yo sólo quiero un café con leche –dice Rosa.

–Pues yo voy a tomar un vaso de leche fría y un bocadillo de tortilla.

–Yo quiero algún pastel de aquí, de Asturias -dice Jaime.

–Entonces, si usted quiere, le traigo un par de «casadiellas».

–¿Un par de qué...?

–«Ca-sa-die-llas». Son unos pasteles muy ricos que hacemos con nueces[8] y azúcar. ¿Y, de beber, va a querer algo?

–Sí, por favor, un vaso de vino.

–¿Me podría traer a mí también unas «casadiellas»? –pregunta Manuel.

El camarero sonríe y contesta:

–Muy bien, «casadiellas» para todos.

–Ese abuelo del tridente es Neptuno, el rey del mar.
A su lado va don Pelayo, un viejo rey asturiano.

Ya son las once de la mañana. Desde la ventana del bar los tres jóvenes miran hacia fuera. La gente del pueblo está organizando un desfile[9] muy divertido: un viejo con un traje largo de color azul pasea por la calle saludando a los demás. En la mano lleva un tridente[10].

–Ese abuelo del tridente es Neptuno, el rey del mar –les explica el camarero–. A su lado va don Pelayo, un viejo rey asturiano. Los siguen los piragüistas[11], los vecinos del pueblo, los turistas..., todo el mundo.

–Y ¿adónde van? –pregunta Rosa.

–Van hacia el puente de Arriondas, porque desde allí salen las piraguas a mediodía.

Los tres jóvenes acaban deprisa su desayuno y pagan al camarero. Dejan la propina sobre la mesa y salen a la calle. Quieren seguir el desfile. Empieza la fiesta.

IV

NUESTROS amigos encuentran un buen sitio cerca del puente de Arriondas. Desde allí, sentados debajo de unos árboles, ven correr las tranquilas aguas del río. La lluvia ya ha parado, pero el campo huele a mojado. Casi no hay niebla y empieza a salir el sol.

En la orilla, unas al lado de otras, están las piraguas. A su derecha hay un semáforo[12] con su luz todavía en rojo. Los piragüistas lo miran nerviosos. Todos los años, a las doce de la mañana, el semáforo cambia la luz roja por la verde y entonces empieza el Descenso del Sella.

Cerca del río, la gente se divierte: bebe sidra[13], se baña en el río, canta, baila... De repente todos callan. Ha llegado Dioniso de la Huerta, la primera persona que vivió la aventura del descenso el Sella, hace ya setenta años. En estos momentos está invitando a la gente a la fiesta. Cuando termina de hablar, el pueblo entero empieza a cantar «Asturias, patria querida»[14]. Ahora son las doce de la mañana. Los piragüistas miran hacia el semáforo.

–¿Estáis preparados? ¡Ya!

El semáforo se pone en verde, los piragüistas saltan dentro de sus piraguas y empieza el Descenso del Sella.

Las calles de Arriondas están ahora llenas de gente. Todo el mundo corre: unos van hacia la carretera, para seguir el Descenso en coche, moto, autobús...; otros corren hacia la estación, donde espera el tren fluvial. Ahora son las doce y cinco minutos.

Jaime, Rosa y Manuel corren también a la estación y en seguida suben al tren. Está bastante lleno y es difícil encontrar un sitio libre para sentarse.

Todo está preparado. El jefe de estación mira su reloj. Quedan sólo unos minutos. Por fin levanta una mano y el tren sale despacio de la estación. Empieza el viaje a Ribadesella.

V

DENTRO del tren hace mucho calor. Manuel baja el cristal de la ventana y se pone sus gafas de sol. El tren fluvial corre lentamente entre campos verdes de maíz[15] y pequeños bosques de castaños[16]. Los vecinos de los pueblos salen a esperarlo y saludan con sus pañuelos. Ahora el tren corre al lado del río. Los viajeros pueden ver las primeras piraguas. Todos gritan alegremente y saludan a los piragüistas con la mano.

Manuel está encantado. Las piraguas bajan muy deprisa y el río está maravilloso: su agua tiene mil colores diferentes. De repente avisan a los viajeros:

–Señoras y señores, dentro de unos momentos el tren fluvial va a hacer una parada de cinco minutos en el campo de la Requexada.

Los viajeros más jóvenes salen al pasillo.

–¿Adónde van esos chicos? –pregunta Manuel.

–Van a la orilla del río. Así pueden ver de cerca las piraguas.

–El tren fluvial los espera, ¿verdad? –pregunta otra vez Manuel, un poco preocupado.

–¡Claro, hombre! –contesta Rosa–. El tren se para en medio del campo y espera cinco minutos. Luego recoge a los viajeros que bajaron al río y sigue hacia Ribadesella.

–¿Y tú cómo sabes todo eso? –pregunta Manuel a su hermana.

–Anda, pues porque me lo explicaron todo unos chicos cuando subimos al tren.

Manuel se queda callado un momento, pensando.

–¿Por qué no vamos a la orilla con los otros? –pregunta por fin.

–No, Manuel, no tengo ganas. Estoy cansada.

–Y tú, Jaime, ¿por qué no te vienes conmigo?

–Yo me quedo. Vete tú solo, si quieres.

–¡Qué aburridos sois! Bueno, es igual, me voy yo solo.

–Ten cuidado, Manuel –dice Jaime–. El tren para sólo cinco minutos. Si tardas más, te quedas en la Requexada.

–No te preocupes. En cinco minutos estoy de vuelta. Hasta luego.

Son las doce y media de la mañana. El tren fluvial se para en medio del campo y abre sus puertas. Los viajeros bajan hacia el río.

VI

MANUEL empieza a correr con los ojos puestos en el río. El campo está precioso, verde y lleno de flores. Bajo un cielo limpio y azul, el río corre entre los árboles. Su agua es clara como el cristal. A lo lejos se levantan las montañas, grises entre la niebla. Pero Manuel no ve nada. Sólo piensa en llegar a la orilla. Quiere estar allí para ver pasar las primeras piraguas. No quiere perderse nada y corre lo más deprisa que puede, sin mirar por dónde va. De repente cae al suelo. Ha tropezado con una piedra. Unos jóvenes se paran a su lado:

–¿Estás bien?

–Sí –contesta Manuel–. No me pasa nada. El pie me duele un poco, pero no es nada.

–Si quieres, te llevamos al tren.

–No, no..., de verdad que no es nada. Vosotros id al río, yo estoy bien.

Manuel se pone de pie y empieza a andar despacio hacia la orilla. Una vez allí, se sienta y descansa tranquilo unos minutos. Las piraguas pasan rápidamente ante sus ojos. La gente grita alegremente, porque la primera piragua es española. Detrás de ella van, muy seguidas, las de Australia y Francia. En esos momentos el tren avisa a los viajeros y todos corren de vuelta hacia él. Ahora, en la orilla, no queda nadie. Sólo Manuel, que se pone de pie muy lentamente y se da cuenta de que no puede andar. El pie le duele muchísimo.

El tren fluvial avisa por segunda vez a los viajeros. Dentro de pocos segundos va a cerrar sus puertas y a seguir su viaje hacia Ribadesella. Manuel se deja caer sobre la arena. Tiene ganas de llorar. ¿Qué va a hacer ahora, solo en la Requexada?

VII

El tren fluvial está llegando a los campos de Oba. En estos campos, al lado de la ría[17], huele ya a mar. El Cantábrico[18] está muy cerca y, más cerca aún, el puente de Ribadesella.

Jaime y Rosa sólo piensan en Manuel. ¿Dónde puede estar? Lo han buscado por todo el tren pero no lo han visto. ¡Y nadie sabe nada de él...! Manuel no está en el tren fluvial.

–Ya conoces a tu hermano –dice Jaime–. Seguramente se puso a charlar con alguien y se olvidó del tren.

–No lo creo. Manuel sabía que el tren paraba sólo unos minutos.

–Bah, Manuel nunca se preocupa de la hora. Siempre tenemos que esperarlo.

–Sí, ya lo sé. Pero ¿y si a mi hermano le ha pasado algo? Quizás ha tenido un accidente o...

–¡Cállate! Me estás poniendo nervioso.

–¿Qué podemos hacer? Tenemos que encontrarlo cuanto antes.

–Mira, en seguida vamos a llegar a Ribadesella. Allí tomamos un taxi y volvemos a la Requexada. Seguro que

Manuel está allí. Y, si no lo encontramos, avisamos a la policía.

–De acuerdo –dice Rosa llorando.

El tren está llegando a Ribadesella.

El tren fluvial está llegando a los campos de Oba. En estos campos, al lado de la ría, huele ya a mar. El Cantábrico está muy cerca...

VIII

Manuel sigue solo en la orilla. El pie le duele cada vez más. No puede moverse y sus amigos están lejos, en el tren fluvial, viajando hacia Ribadesella. De repente, el chico se da cuenta de que una piragua viene hacia él. En ella va un hombre fuerte y moreno y, con él, ¡un perro!

El hombre llega hasta la orilla, saca del río la piragua y, sin prisa, quita el agua que lleva dentro.

–¡Por favor, por favor! –grita Manuel.

–¿Qué te ocurre, chico? –pregunta el hombre y empieza a andar hacia él.

Manuel le enseña su pie enfermo.

–Te has dado un buen golpe, chico, pero no pareces tener nada roto. ¿Has venido solo?

–No, he venido con mi hermana y un amigo, pero están en el tren fluvial.

–Entonces te llevaré hasta el pueblo.

–Pero ¡cómo va a dejar el Descenso por mí!

–No lo dejo. Te vienes conmigo en la piragua. Iré con cuidado.

–Pero entonces va a perder mucho tiempo. Va a llegar el último.

–Es igual. No tengo prisa. No voy a ganar este año el Descenso, ¿sabes? Yo sólo quiero pasear por el río en piragua y llegar a Ribadesella, sin prisa, con mi perro.

–¿Cómo se llama? –pregunta Manuel.

–Antonio Menéndez.

Manuel se ríe.

–No, usted no. Yo decía el perro.

–¡Ah, claro! –Antonio también se ríe–. Mi perro se llama Don.

–Pues encantado de conocerlos a los dos. Yo me llamo Manuel.

Manuel y Antonio empiezan a charlar. Antonio es de Gijón[19], tiene cuarenta años, está casado y tiene dos hijos pequeños. Trabaja de secretario en una oficina y pasa sus vacaciones en Arriondas. Todos los veranos baja en piragua el río Sella con un amigo del trabajo. Este año su amigo no se presentó en el puente de Arriondas y, por eso, Antonio baja solo. Bueno, no baja solo, baja con su perro Don.

Antonio vuelve a sacar su piragua al río y Manuel se sienta detrás, con Don. La última piragua del Descenso empieza a bajar las claras aguas del río Sella.

Los campos cerca del río están llenos de gente. Todos los años, el día del Descenso los vecinos de los pueblos del Sella invitan a sus amigos y parientes a comer allí. La comida de campo es muy sencilla: pastel de carne o de pescado, tortilla de patatas, filetes de salmón[20] del Sella y, de postre, un trozo de *queso de Cabrales*[21].

Los vecinos saludan a la última piragua del Descenso, que pasa delante de ellos. Los niños corren hacia la orilla y gritan:

–¡Todavía os quedan tres kilómetros!

–¿Cómo se llama el perro?

Antonio y Manuel saludan a los niños y siguen su paseo por el río. El puente de Ribadesella no está lejos. Pero Manuel sigue preocupado. Rosa debe estar nerviosísima...

IX

En Ribadesella el cielo está muy oscuro. Parece que por la tarde va a llover. Los turistas se ponen sus chaquetas y pasean por el pueblo mientras esperan la llegada de las piraguas.

Ribadesella es un pueblo del norte con casas viejas y calles estrechas. Además, tiene un pequeño puerto de mar, dos hoteles, un cine y un puente muy bonito sobre la ría del Sella. El puente une las calles viejas con el barrio nuevo, que está casi en la playa.

Todos los años los vecinos de Ribadesella, desde las orillas de la ría, desde el puente o en los barcos, esperan alegres las piraguas.

En estos momentos, el tren fluvial llega al pueblo de Ribadesella y se para enfrente de la ría. Los viajeros bajan deprisa y corren hacia el agua. Las primeras piraguas están llegando. El puente está lleno de periodistas de radio y televisión. La gente grita el nombre de los dos piragüistas españoles que han ganado el Descenso de este año. Unos jóvenes nadan hacia las piraguas. Los bares del puerto están llenos de gente bebiendo sidra. La gente canta y baila por las calles.

Cerca del puente, Rosa y Jaime encienden un cigarrillo mientras esperan el taxi que los va a llevar a la Requexada. Los dos están muy serios y no están de humor para la fiesta. Manuel ha tenido un accidente, seguro, y tienen que volver a aquel campo cerca del río.

Es la una de la tarde. Las familias visitan los «chigres» asturianos, bares donde la gente va a beber sidra. En el puente de Ribadesella ya no hay nadie, pero las calles siguen llenas de coches. El taxi de Rosa y Jaime todavía no llega. Está tardando mucho.

En el puerto, un barco sale al mar. Unos chicos están subiendo pescado a un camión. De repente, uno de ellos empieza a correr hacia la ría. Una piragua está llegando al puente, ¡la última piragua del Descenso!

–¡Mirad, otra piragua! ¡Con dos hombres y un perro!

Los chicos del puerto corren hacia el agua:

–¿Un perro en la piragua? ¡Qué extraño!

La piragua llega hasta la orilla. Los chicos la esperan gritando, con bromas, haciendo mucho ruido.

Rosa y Jaime oyen los gritos de los chicos y vuelven la cabeza hacia la ría. Allí debe ocurrir algo raro. Pero sólo ven una piragua y a unos chicos gritando alrededor...

–¡No puede ser! –grita Rosa de repente–. ¡Dios mío, yo estoy soñando! Pero sí..., ¡es verdad!, ese chico rubio... ¡es Manuel!

–¡Mirad, otra piragua! ¡Con dos hombres y un perro!
–¿Un perro en la piragua? ¡Qué extraño!

X

Una hora más tarde, en un bar de las afueras del pueblo, celebran[22] todos el final feliz de la aventura. Han pedido un aperitivo sencillo y, para beber, sidra, claro.

El bar es grande. Tiene una ventana estrecha llena de plantas. Está muy oscuro. Además de comer y de beber, el cliente puede aquí comprar de todo: desde cigarrillos a un sombrero para el campo o un par de zapatos.

Los jóvenes charlan tranquilamente mientras toman el aperitivo. Manuel está feliz. No para de hablar y de contarles una y otra vez su aventura en el río:

–Mis amigos no me van a creer si les cuento que he bajado el Sella sentado al lado de un perro. El año que viene me llevas contigo otra vez, ¿vale, Antonio?

–Muy bien. El año que viene te espero. Pero esta vez vamos a llegar los primeros, ¿eh?

–¡Claro!

–Todo eso está muy bien –dice Jaime–, pero ahora tenemos que comer.

–¿Por qué no pedís la comida mientras yo voy a cambiarme? Mi pantalón está mojado –dice Manuel–. Tengo otro en la bolsa de viaje. ¿Me la pasas, Rosa, por favor?

Sentados alrededor de una mesa, tres viejos juegan a las cartas. Cerca de ellos, unos niños ven una película en la televisión. Fuera, en la calle, cuatro hombres juegan a los bolos[23], uno de los juegos preferidos por las gentes del norte de España.

Manuel vuelve del cuarto de baño. Parece muy nervioso. Rosa le pregunta:

–¿Qué te pasa, Manuel? ¿Te duele el pie todavía?

–No –contesta el chico–, es que... ¿sabéis qué me he encontrado en el bolsillo del pantalón...? Pues... ¡las llaves del coche!

–¡Qué dices! –grita Jaime–. ¡Tantos problemas y tenías las llaves en el pantalón! Te voy a matar.

–Deja a Manuel tranquilo –dice Rosa–. El pobre ha tenido bastante por hoy. Además, al final no ha pasado nada y Antonio puede llevarnos hasta Arriondas en su coche. Venga, vamos a comer. Mirad qué *fabada*[24] nos trae el camarero. Tiene que estar riquísima.

XI

El tiempo ha pasado muy deprisa. La tarde se termina y cae la noche. En las calles, los árboles están llenos de luces de colores. De la plaza llega la música de viejas canciones. El cielo está gris, pero esta noche parece que no va a llover.

El coche de Antonio sale del pueblo lentamente y se para unos segundos delante del puente, antes de cruzar la carretera. Manuel mira el puente por última vez. Hoy ha vivido una aventura que empezó en el puente de Arriondas y terminó allí, en el de Ribadesella. Ahora, el coche corre por la carretera de Oviedo hacia el pueblo de Arriondas. El día de las piraguas se ha terminado.

SOBRE LA LECTURA

Para comprobar la comprensión

I

1. *¿Qué ocurre en Arriondas el primer sábado de agosto?*
2. *¿Son de Arriondas Jaime, Rosa y Manuel?*
3. *¿Qué problema tienen los tres jóvenes?*

II

4. *¿Qué hacen para seguir el Descenso sin coche?*
5. *¿Qué es el tren fluvial?*

III

6. *¿Qué hacen los tres jovenes antes del Descenso?*
7. *¿Qué son las casadiellas?*
8. *¿Qué ven los jóvenes desde la ventana del bar?*

IV

9. *¿Dónde empieza el Descenso del Sella?, ¿a qué hora? ¿Cómo saben los piragüistas cuándo empieza?*
10. *¿Qué hace la gente antes del Descenso?*
11. *¿Hacia dónde corren Rosa, Jaime y Manuel? ¿Por qué?*

V

12. *¿Qué ven los viajeros desde la ventana del tren?*
13. *¿Durante cuánto tiempo va a parar el tren?*
14. *¿Quieren Jaime y Rosa bajar del tren? ¿Y Manuel?*

VI

15. *¿Qué le ocurre a Manuel cuando corre hacia el río?*
16. *¿Puede Manuel volver al tren? ¿Por qué?*

VII

17. *¿Qué piensa Jaime que le ha ocurrido a Manuel?*
18. *¿Qué piensa Rosa?*
19. *¿Qué deciden hacer?*

VIII

20. *¿Quién es Antonio?*
21. *¿Quiere ayudar a Manuel?*
22. *¿Cómo va a llegar Manuel al pueblo de Ribadesella?*

IX

23. *¿Por qué han ido todos juntos al bar?*
24. *¿Por qué se levanta Manuel de la mesa?*
25. *¿Qué se encuentra en el bolsillo del pantalón?*

X

26. *¿Se van a quedar Rosa, Jaime y Manuel por la noche en el pueblo?*
27. *¿Cómo vuelven a Arriondas?*

Para hablar en clase

1. *¿Qué fiestas populares se celebran en su pueblo o ciudad? ¿Cómo son?*
2. *¿Conoce usted España? ¿Le gustaría visitar Asturias o prefiere conocer antes otras regiones de nuestro país?*
3. *¿Qué comidas son típicas de la cocina de su país? De las comidas que aparecen en esta lectura ¿cuáles le apetecería probar?*
4. *¿Ha participado alguna vez en una competición de este tipo? ¿Y en otro tipo de competiciones?*
5. *¿Le gusta el deporte en general?*

NOTAS

Estas notas proponen equivalencias o explicaciones que no pretenden agotar el significado de las palabras o expresiones siguientes sino aclararlas en el contexto de *En piragua por el Sella*.

m.: masculino, *f.:* femenino, *sing.:* singular, *inf.:* infinitivo.

1 **piraguas** *f.:* embarcaciones de remo pequeñas, largas y estrechas.

puente

2 **puente** *m.:* construcción que permite cruzar un río.

3 **niebla** *f.:* nubes muy bajas que tocan la tierra y limitan la visibilidad.

4 **Oviedo:** capital del Principado de Asturias *(ver mapa)*.

5 **gaita** *f.:* instrumento musical de viento, formado por una piel de animal en forma de bolsa, a la que van unidos tres tubos de madera.

6 **fluvial:** de río.

7 **orilla** *f.:* tierra al borde de un río.

8 **nueces** (*f. sing.:* **nuez**): fruto del nogal. Se comen frescas o como fruto seco.

gaita

9 **desfile** *m.:* conjunto de personas que marchan ante un público juntas y en orden, unas detrás de las otras.

10 **tridente** *m.:* arma de tres puntas, símbolo de Neptuno.

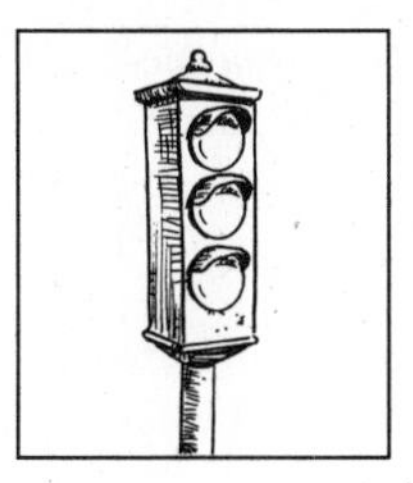

semáforo

11 **piragüistas** *m.* y *f.:* personas que llevan los remos en una piragua.

12 **semáforo** *m.:* señales luminosas (roja, ámbar y verde) para regular el tráfico en las ciudades.

13 **sidra** *f.:* bebida de poca graduación alcohólica, hecha con jugo de manzanas, muy popular en Asturias.

14 **«Asturias, patria querida»:** la canción asturiana más conocida. Es el himno oficial del Principado de Asturias.

maíz

15 **maíz** *m.:* cereal de tallo grueso, de uno a tres metros de altura y de largas hojas verdes. Su fruto son unos gordos granos amarillos que forman una especie de cilindro envuelto en unas hojas protectoras.

16 **castaños** *m.:* árboles de tronco grueso, hojas grandes y flores blancas. Sus frutos son las castañas.

17 **ría** *f.:* entrada del mar en las aguas de un río.

hoja de castaño

18 **mar Cantábrico** *m.:* parte del océano Atlántico que está al norte de España. También llamado golfo de Vizcaya *(ver mapa).*

19 **Gijón:** después de Oviedo, la ciudad más importante de Asturias *(ver mapa).*

20 **salmón** *m.:* pescado de río y de mar. Su carne es de color rosa.

21 **queso de Cabrales** *m.:* famoso queso asturiano de olor y sabor muy fuertes, parecido al Roquefort. Lleva el nombre del pueblo donde se hace.

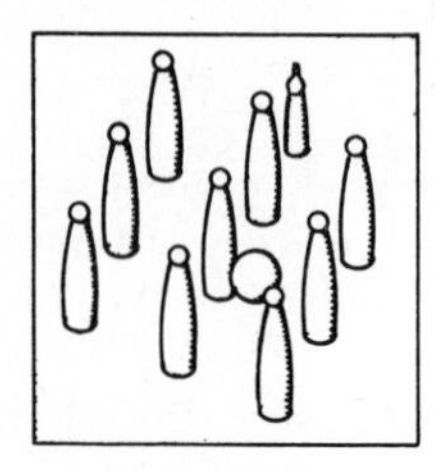

juego de bolos

22 **celebran** (*inf.:* **celebrar**): manifiestan su alegría haciendo una pequeña fiesta.

23 **bolos** *m.:* juego constituido por nueve piezas de madera alargadas que se ponen verticalmente en el suelo y una bola. El juego consiste en derribar el mayor número de «bolos» al lanzar la bola.

24 **fabada** *f.:* plato típico asturiano, hecho con judías secas, chorizo, morcilla y tocino.

VOCABULARY

The following is a glossary of the footnoted words and phrases found in *En piragua por el Sella*. Translations are limited to the meaning within the particular context of the story.

m.: masculine, f.: feminine, sing.: singular, inf.: infinitive.

1 **piraguas** f.: *canoes.*

2 **puente** m.: *bridge.*

3 **niebla** f.: *fog.*

4 **Oviedo:** *capital of Asturias* (see map).

5 **gaita** f.: *bagpipe.*

6 **fluvial:** *fluvial.*

7 **orilla** f.: *bank.*

8 **nueces** (f. sing.: **nuez**): *nuts.*

9 **desfile** m.: *parade.*

10 **tridente** m.: *fork.*

11 **piragüistas** m. and f.: *canoeists.*

12 **semáforo** m.: *traffic–lights.*

13 **sidra** f.: *cider.*

14 **«Asturias, patria querida»:** *official anthem of Asturias.*

15 **maíz** m.: *corn.*

16 **castaños** m.: *chestnut trees.*

17 **ría** f.: *«ria», estuary, river mouth.*

18 **mar Cantábrico** m.: *Bay of Biscay* (see map).

19 **Gijón:** *after Oviedo, the biggest city in Asturias* (see map).

20 **salmón** m.: *salmon.*

21 **queso de Cabrales** m.: *Asturian cheese, made in Cabrales, strong in flavour and smell, similar to Roquefort.*

22 **celebran** (inf.: **celebrar**): *they celebrate.*

23 **bolos** m.: *bowls.*

24 **fabada** f.: *typical Asturian dish made of «fabes» (large white beans), «morcillas» (black pudding) and salt pork.*

VOCABULAIRE

Ces notes proposent des traductions et des équivalences qui n'épuisent pas le sens des mots ou expresssions ci-dessous mais les expliquent dans le contexte de *En piragua por el Sella*.

m.: masculin, f.: féminin, sing.: singulier, inf.: infinitif.

1 **piraguas** f.: *canoës.*

2 **puente** m.: *pont.*

3 **niebla** f.: *brouillard.*

4 **Oviedo:** *capitale des Asturies* (voir carte).

5 **gaita** f.: *cornemuse.*

6 **fluvial:** *fluvial.*

7 **orilla** f.: *rive.*

8 **nueces** (f. sing.: **nuez**): *noix.*

9 **desfile** m.: *défilé.*

10 **tridente** m.: *trident.*

11 **piragüistas** m. et f.: *rameurs de pirogues.*

12 **semáforo** m.: *feux de signalisation.*

13 **sidra** f.: *cidre.*

14 **«Asturias, patria querida»:** *hymne officiel de la Principauté des Asturies.*

15 **maíz** m.: *maïs.*

16 **castaños** m.: *châtaigniers.*

17 **ría** f.: *«ria», estuaire, golfe.*

18 **mar Cantábrico** m.: *golfe de Gascogne* (voir carte).

19 **Gijón:** *après Oviedo, la ville la plus importante des Asturies* (voir carte).

20 **salmón** m.: *saumon.*

21 **queso de Cabrales** m.: *fromage élaboré dans le village de Cabrales qui ressemble au Roquefort.*

22 **celebran** (inf.: **celebrar**): *ils fêtent.*

23 **bolos** m.: *quilles.*

24 **fabada** f.: *plat typique des Asturies, préparé avec des haricots blancs, du «chorizo», du boudin et du lard.*

WORTSCHATZ

Die nachfolgenden Übersetzungen beziehen sich ausschließlich auf die konkrete Bedeutung des entsprechenden spanischen Ausdrucks und dessen Anwendung im Text *En piragua por el Sella.*

m.: Maskulin, f.: Femenin, sing.: Singular, inf.: Infinitiv.

1 **piraguas** f.: *Kanus.*

2 **puente** m.: *Brücke.*

3 **niebla** f.: *Nebel.*

4 **Oviedo:** *Landeshauptstadt von Asturien* (s. Landkarte).

5 **gaita** f.: *Dudelsack.*

6 **fluvial:** *Fluß...* (**tren fluvial**: «*Flußzug*»).

7 **orilla** f.: *Ufer.*

8 **nueces** (f. sing.: **nuez**): *Nüsse.*

9 **desfile** m.: *Umzug.*

10 **tridente** m.: *Dreizack.*

11 **piragüistas** m.: *Kanufahrer.*

12 **semáforo** m.: *Ampel.*

13 **sidra** f.: *Apfelwein.*

14 **«Asturias, patria querida»:** *die offizielle Hymne von Asturien.*

15 **maíz** m.: *Mais.*

16 **castaños** m.: *Kastanienbäume.*

17 **ría** f.: *fjordähnliche Trichtermündung der Flüsse.*

18 **mar Cantábrico** m.: *der Golf von Biskaya* (s. Landkarte).

19 **Gijón:** *die zweitgrößte Stadt von Asturien* (s. Landkarte).

20 **salmón** m.: *Lachs.*

21 **queso de Cabrales** m.: *ein sehr deftiger asturianischer Käse.*

22 **celebran** (inf.: **celebrar**): *sie feiern.*

23 **bolos** m.: *Kegelspiel.*

24 **fabada** f.: *asturianischer Bohneneintopf.*